302

le Pachycéphalosaure

Ce livre appartient à

....

....

Avec l'aimable participation
de Hervé Lelièvre, Maître de conférences
au Muséum d'histoire naturelle de Paris

Consultant : Dr David Norman,
directeur du musée Sedgwick de Géologie,
Université de Cambridge, Angleterre

Édition : Little Big Man
          Marie-Hélène Albertini-Viennot

Traduction : Patrick Facon
Maquette : Anne Terrin / Thierry Gourdin

Imprimé par Québécor
Dépôt légal : à parution
ISBN : 2-7365-0137-3
ISSN : en cours

Loi 49-956 du 16 juillet 1949 sur les publications destinées à la jeunesse.

le Pachycéphalosaure

Frances Freedman
Illustré par Tony Gibbons

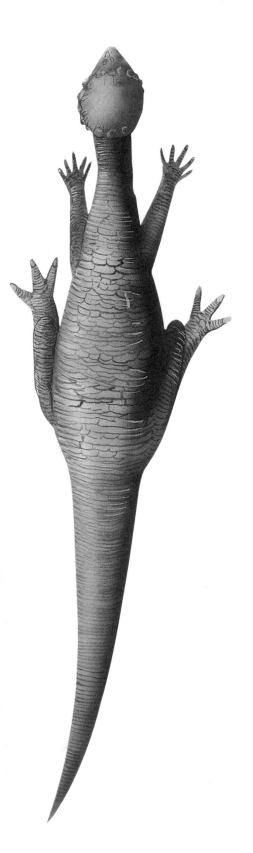

le Pachycéphalosaure

Cette tête, entourée de protubérances osseuses et qui ressemble à un casque, est celle d'un dinosaure étonnant. Il vivait au Crétacé, il y a 70 millions d'années. Il s'appelait le pachycéphalosaure.

Découvert en 1940 par William Winkley aux États-Unis, le pachycéphalosaure ou *pachycephalosaurus* porte un nom qui signifie « **reptile au crâne épais.** »

Les paléontologues – les savants qui étudient les restes des animaux et des plantes préhistoriques – ont appris des choses étonnantes sur cette drôle de créature.

À quoi servait donc ce crâne épais en forme de dôme?

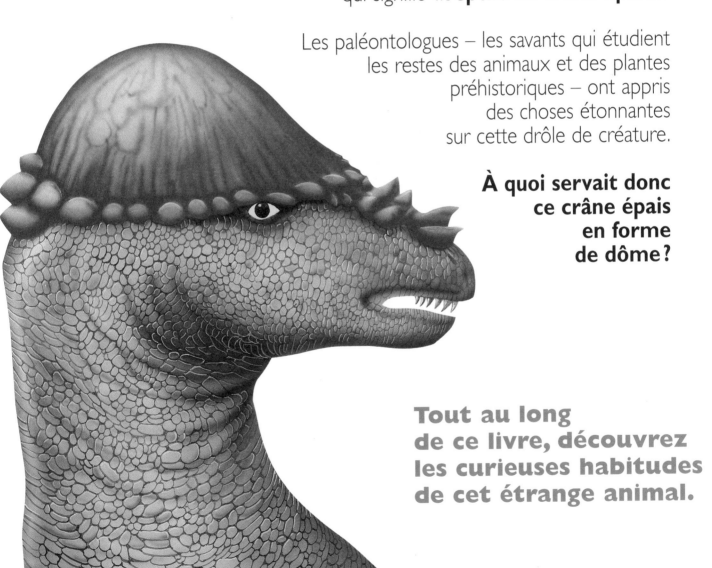

Tout au long de ce livre, découvrez les curieuses habitudes de cet étrange animal.

Un dinosaure au crâne épais

Le pachycéphalosaure mesurait environ 4,60 mètres, du sommet du crâne à l'extrémité de la queue. Lorsqu'il se dressait sur ses pattes arrière, il était plus haut que deux hommes adultes. Mais son signe distinctif, c'était son crâne.

La caractéristique la plus étrange de cet animal était son crâne en forme de dôme. Très épais à son sommet, celui-ci était entouré de nombreuses protubérances osseuses.

De même qu'un casque protège la tête quand on fait de la moto, le crâne solide du pachycéphalosaure était une protection très efficace.

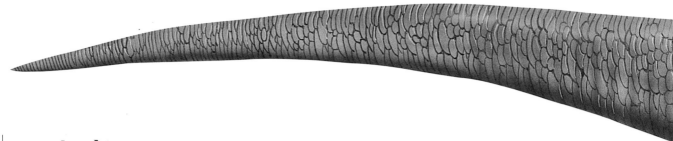

←---- **4 mètres 60 du sommet du crâne au bout de la queue** ------------

Son cerveau n'était pas très volumineux, mais il avait quand même besoin de cette épaisse calotte crânienne qui amortissait les chocs lors des combats tête contre tête.

Cependant, le pachycéphalosaure n'avait nul besoin d'attaquer ou de tuer les autres dinosaures. Étant herbivore, il ne mangeait pas de chair. Pourtant, les mâles s'affrontaient férocement lorsqu'ils se disputaient une femelle ou un territoire.

Il utilisait aussi son crâne comme une arme pour se défendre contre les attaques des dinosaures carnivores, en les chargeant.

Pour cela, le crâne épais du pachycéphalosaure devait pouvoir encaisser des chocs phénoménaux.

Certains pensent que la tête des mâles était beaucoup plus colorée que celle des femelles. Cela devait être un moyen pour les mâles de séduire leurs belles.

Si vous observez la reconstitution d'un pachycéphalosaure dans un musée, intéressez-vous aux points suivants :

- son épaisse calotte crânienne en forme de dôme, entourée de protubérances osseuses
- ses pattes avant beaucoup plus courtes que ses pattes arrière
- son bassin très large
- sa queue allongée et rectiligne.

Une calotte COLORÉE pour séduire les femelles...

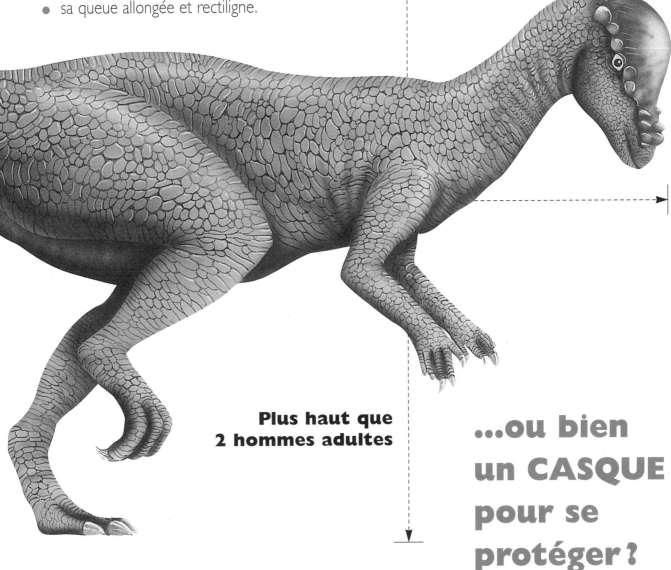

Plus haut que 2 hommes adultes

...ou bien un CASQUE pour se protéger ?

7

Un squelette massif

Outre son crâne impressionnant, long de 60 centimètres et épais de 25 centimètres, le pachycéphalosaure était doté d'un squelette massif. Comme le tyrannosaure, ses pattes arrière étaient plus développées que ses pattes avant.

Lorsqu'il attaquait un prédateur ou l'un de ses congénères, le pachycéphalosaure chargeait tête en avant et corps à l'horizontale.

Le pachycéphalosaure avait une queue allongée et effilée, qu'il tenait très droite lorsqu'il chargeait

Le crâne des mâles était beaucoup plus épais que celui des femelles afin de pouvoir s'affronter dans des combats singuliers.

Ils chargeaient l'un vers l'autre avant de se battre au corps à corps. L'impact des crânes qui se heurtaient était terrible.

et qui contribuait à son équilibre. Son bassin, très large, renforçait sa colonne vertébrale.

Certains animaux contemporains qui s'affrontent dans des combats tête contre tête – les mouflons par exemple – ont des os creux qui permettent d'amortir les chocs.

Le pachycéphalosaure ne possédait pas de telles caractéristiques anatomiques. Les savants pensent que c'est sa colonne vertébrale qui absorbait une partie du choc violent entre les deux crânes.

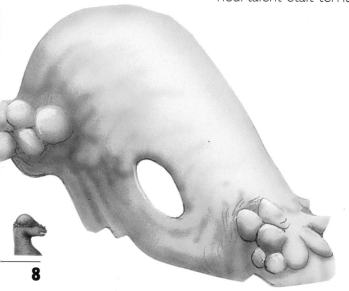

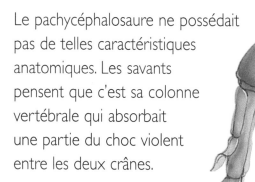

Heureusement, car utiliser sa tête comme une massue devait finir par être très douloureux pour l'animal.

La profondeur des cavités dans lesquelles les yeux venaient se loger laisse penser que la vision du

proches sont beaucoup plus courants, du fait de leur solidité.

Les chercheurs n'ont découvert des squelettes de pachycéphalosaures qu'en Amérique du Nord,

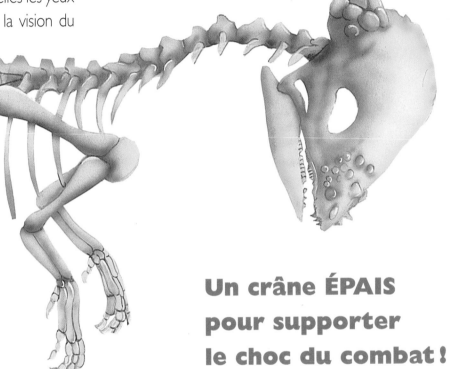

Un crâne ÉPAIS pour supporter le choc du combat !

pachycéphalosaure était perçante. Cela lui permettait de déceler à temps les dangers.

Très peu de crânes entiers de dinosaures ont été trouvés. Trop légers, ils n'ont pu résister aux millions d'années pendant lesquelles ils sont restés enterrés. Mais les crânes de pachycéphalosaures et ceux de leurs cousins

alors que certains membres de leur famille ont été exhumés en Asie. Un fragment de crâne d'un cousin éloigné de cet animal a même été retrouvé dans l'île de Madagascar, au sud-est de l'Afrique. Ce dinosaure a reçu le nom de **majungatholus**, d'après sa région d'origine. Le majungatholus est le premier dinosaure proche du pachycéphalosaure trouvé dans l'hémisphère Sud.

Des têtes fascinantes

Le pachycéphalosaure (1) n'était pas le seul dinosaure à avoir une tête aussi bizarre. En voici quelques autres qui vécurent en ces temps éloignés et dont l'allure était tout aussi étonnante.

1

2

Le **tricératops (2)** était doté de trois cornes – deux au-dessus des yeux et une troisième sur le dessus du nez.

Long de 9 mètres, cet herbivore avait une bouche en forme de bec de perroquet qui lui servait à couper l'herbe. Derrière ses deux grandes cornes supérieures se déployait une large collerette. Sa tête à elle seule était aussi haute qu'un homme !

Maintenant, regardez le **chirostenote (3)**.
Sa tête se prolongeait en une sorte de long
bec avec une mâchoire supérieure bombée.
Quelle étrange créature ce devait être!

Le **tsintaosaure (4)**
était un grand herbivore
doté d'une corne creuse
placée au sommet de son crâne.

Long de 15 mètres,
le **lambéosaure (5)**
disposait d'une crête arrondie
et creuse située au sommet
du crâne. Les savants pensent
que la crête des mâles était plus
grande que celle des femelles.

Si les hommes avaient existé
à l'époque des dinosaures,
sans doute auraient-ils été
effrayés de se retrouver
nez à nez avec des créatures
aussi étranges!

Un combat de titans

C'était par une matinée ensoleillée, au Crétacé, sur le continent nord-américain de cette époque. La plupart des animaux émergeaient à peine du sommeil.

Tout était calme mais, de temps à autre, on percevait le rugissement d'un dinosaure.

Soudain, un bruit sourd résonna sur les pentes d'une colline. Deux pachycéphalosaures mâles se livraient un combat tête contre tête.

Boum! Boum! Encore et encore, le terrible bruit se répercutait alentour. Les deux dinosaures combattaient pour la possession d'une femelle qui broutait plus bas dans la vallée.

La puissance avec laquelle les deux animaux portaient les coups était effrayante.

La lutte se poursuivit pendant cinq bonnes minutes. Partout sur les flancs des collines, d'autres mâles se battaient de la même façon.

Les géants qui s'affrontaient ainsi étaient des pachycéphalosaures. Aucun autre dinosaure n'avait les os du crâne suffisamment résistants pour combattre avec la tête de cette manière.

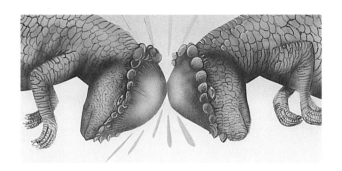

Les tricératops mâles se battaient aussi tête contre tête, mais en entrechoquant leurs cornes les unes contre les autres.

Devenus fous furieux, les deux pachycéphalosaures ne semblaient pas vouloir arrêter le combat. Lequel de ces deux animaux, dont la taille et la force étaient comparables, sortirait vainqueur de la lutte?

Finalement, l'un des deux dinosaures, à bout de force, décida d'abandonner la lutte. Étourdi, il cessa le combat et s'éloigna. L'autre mâle avait gagné.

Le vainqueur possédait à présent son territoire et son troupeau. Il en disposerait comme il l'entendait et pourrait s'accoupler avec les femelles qui y vivaient.

Un herbivore des montagnes

Les savants pensent que les pachycéphalosaures vivaient en troupeaux dans les régions montagneuses, hors de portée des prédateurs géants du Crétacé tels que le tyrannosaure.

La plupart des crânes de pachycéphalosaures ont pourtant été trouvés au fond des vallées. Mais les paléontologues pensent que, avant de se fossiliser, ces crânes ont dévalé les pentes, emportés par l'eau ruisselant sur les flancs des montagnes.

Le pachycéphalosaure possédait de petites dents coupantes et dentelées comme un couteau-scie. Elles lui permettaient de trancher les végétaux qui composaient son alimentation.

Ces animaux mangeaient sans doute plusieurs fois par jour, se nourrissant de racines, de feuilles et de brindilles. En effet, les combats auxquels ils se livraient réclamaient beaucoup d'énergie et une alimentation abondante.

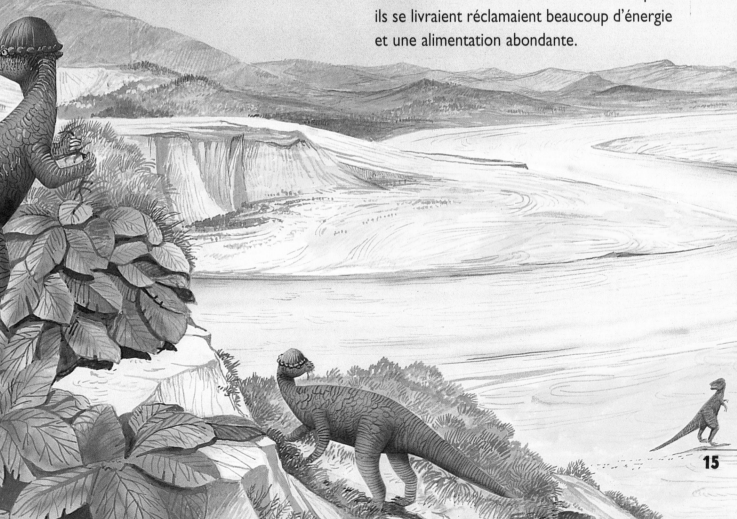

Le saviez-vous ?

Les dinosaures sont des créatures fascinantes à propos desquelles nous nous posons de nombreuses questions. Voici la réponse des paléontologues aux questions les plus courantes.

Pendant combien de temps les dinosaures ont-ils dominé le monde ?

Il y a environ 65 millions d'années, les dinosaures disparurent soudainement. La plupart des chercheurs pensent qu'une météorite géante tomba sur la Terre, produisant un nuage de poussière qui masqua longtemps le soleil. Privés de nourriture, ces animaux moururent après avoir régné pendant près de 160 millions d'années.

Qu'appelle-t-on les « coprolithes » ?

Les coprolithes sont des excréments fossilisés. En les analysant, les paléontologues sont en mesure de déterminer le régime alimentaire des dinosaures dont ils proviennent. Étaient-ils herbivores ? Ou bien, si l'on y retrouve des traces d'os brisés ou de dents, étaient-ils carnivores ?

Deux espèces différentes de dinosaures pouvaient-elles s'accoupler?

Les savants pensent que cela était impossible. Aussi un pachycéphalosaure ne s'accouplait-il qu'avec un autre pachycéphalosaure et jamais, par exemple, avec un **anatotitan** (ci-dessous).

Combien de temps vivait un dinosaure?

Personne n'est certain de la longévité des dinosaures, mais les savants s'emploient à la déterminer en étudiant le rythme de croissance de leurs os.

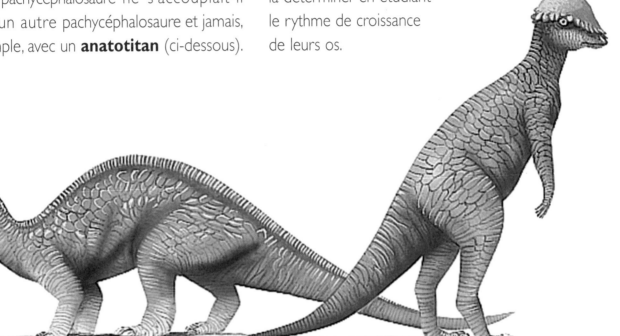

Combien existe-t-il de familles de dinosaures?

Les paléontologues reconnaissent l'existence d'au moins mille espèces différentes de dinosaures. Leurs restes ont été découverts dans le monde entier. Sans doute en existe-t-il encore bien d'autres. Certaines espèces de dinosaures ne sont pas encore connues, d'autres ne le seront jamais.

Ce travail est des plus difficiles, car beaucoup d'entre eux n'ont jamais pu atteindre leur longévité maximale, ayant été attaqués et dévorés par des prédateurs.

On pense cependant qu'un dinosaure comme le **massospondylus** (page de gauche), datant de 220 millions d'années, vivait environ 70 ans, comme un homme actuel.

17

Une énigme à résoudre

Tous les mammifères, y compris l'homme, se caractérisent par leur sang chaud. Les reptiles, en revanche, ont le sang froid. Qu'en était-il des dinosaures? Aucune hypothèse n'a pu être confirmée pour le moment.

1

La voile dorsale d'un dinosaure comme l'**ouranosaure (3)** était utilisée de la même façon. Si la température du corps de ce dinosaure montait, la chaleur en excès était évacuée grâce à cette voile. Si elle baissait, celle-ci absorbait la chaleur produite par le soleil.

Cependant, nous savons que certains dinosaures, parmi lesquels le **gallimimus (1)**, pouvaient courir très vite et sur de longues distances.

S'ils avaient le sang froid, comment les dinosaures procédaient-ils pour accroître ou réduire la température de leur corps? Ils auraient pu le faire en se mettant au soleil ou à l'ombre, comme le font les reptiles d'aujourd'hui. Certains dinosaures, tels que le **stégosaure (2)**, auraient utilisé leurs plaques dorsales en les relevant ou en les abaissant pour refroidir ou réchauffer leur corps.

Les paléontologues supposent même que ces plaques pouvaient faire office de panneaux solaires pour absorber la chaleur du soleil.

2

Or, les reptiles actuels ne peuvent se déplacer rapidement que sur de courtes distances, parce que, ayant le sang froid, ils n'ont pas assez d'énergie pour courir longtemps.

Après tout, pourquoi les dinosaures n'auraient-ils pas eu le sang chaud? Si tel avait été le cas, la température de leur corps aurait pu être maintenue automatiquement, comme chez les oiseaux et les mammifères actuels.

Personne n'est sûr de rien. Peut-être certains dinosaures avaient-ils le sang chaud et d'autres le sang froid. Cette énigme est particulièrement difficile à résoudre en raison de la grande diversité des dinosaures qui peuplèrent jadis la Terre.

Signes distinctifs

Si vous aviez vécu au Crétacé, vous auriez pu reconnaître un pachycéphalosaure à certaines caractéristiques.

Des couleurs vives

Aujourd'hui, les scientifiques pensent que le pachycéphalosaure mâle avait une tête très colorée qui lui permettait d'attirer les femelles.

De telles différences de couleurs entre le mâle et la femelle d'une même espèce existent dans le monde animal actuel. Le paon, par exemple, possède des plumes beaucoup plus colorées que celles de la paonne.

Des pattes à 5 doigts

Le pachycéphalosaure avait des pattes à cinq doigts armés de griffes avec lesquelles il pouvait saisir et déchiqueter les plantes.

Un crâne à l'épreuve des chocs

Vous savez sans doute qu'il faut porter un casque pour protéger sa tête lorsqu'on fait de la moto ou du cheval. Le pachycéphalosaure avait en guise de casque un crâne très épais, en forme de dôme, qui protégeait son cerveau des nombreux chocs dus aux combats.

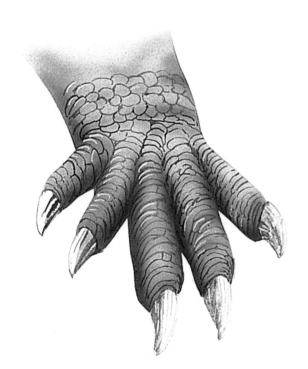

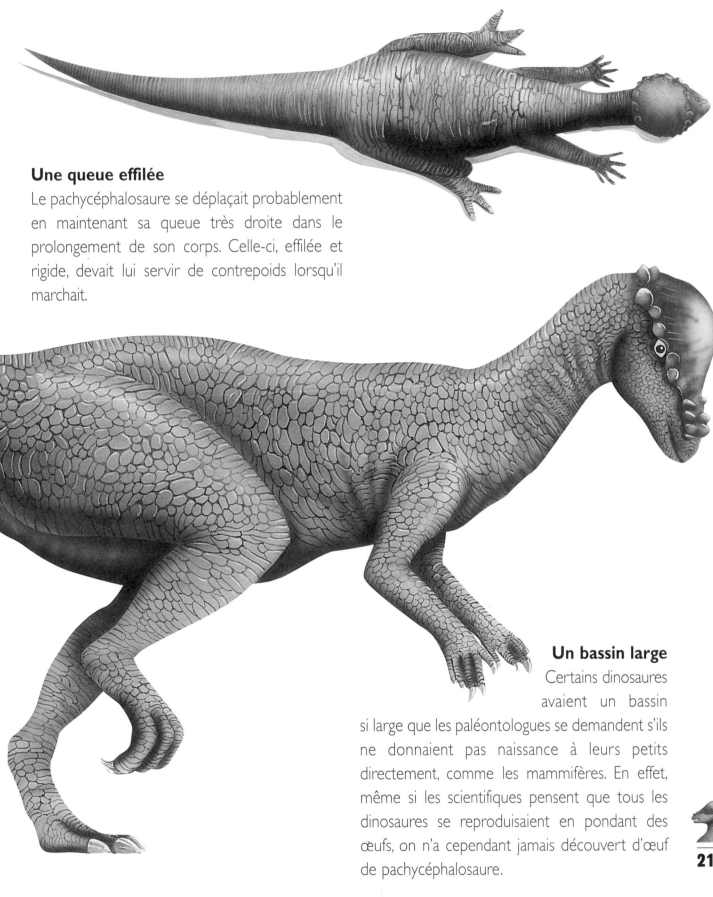

Une queue effilée

Le pachycéphalosaure se déplaçait probablement en maintenant sa queue très droite dans le prolongement de son corps. Celle-ci, effilée et rigide, devait lui servir de contrepoids lorsqu'il marchait.

Un bassin large

Certains dinosaures avaient un bassin si large que les paléontologues se demandent s'ils ne donnaient pas naissance à leurs petits directement, comme les mammifères. En effet, même si les scientifiques pensent que tous les dinosaures se reproduisaient en pondant des œufs, on n'a cependant jamais découvert d'œuf de pachycéphalosaure.

Tête contre tête

Le pachycéphalosaure (1)
était sans aucun doute
le champion du combat tête contre tête.
Mais d'autres dinosaures se battaient aussi
de cette manière. En voici quelques spécimens.

Le **goyocéphale (2)** était un cousin du pachycéphalosaure qui vivait en Mongolie, mais d'une taille moindre. Il était doté également d'un crâne en forme de dôme orné d'excroissances osseuses.

Le **stégocéras (3)**, dont le nom signifie «**crâne orné de cornes**», vivait en Amérique du Nord, au Crétacé. Il mesurait deux mètres de long et possédait un crâne en forme de dôme.

5

Le **stygimoloch (5)**, dont le nom signifie « **démon de la rivière Styx** », est connu depuis peu. Il mesurait 3 mètres de long et vivait en Amérique, à la fin du Crétacé.

Son crâne, en forme de dôme, comportait aussi des excroissances osseuses qui protégeaient son cerveau. Mais il avait en plus des piquants qui pouvaient infliger des blessures à ses adversaires.

L'homalocéphale (4) était un autre dinosaure de la fin du Crétacé, originaire de Mongolie.

Herbivore lui aussi, cet animal avait une tête plus plate que celle de ses cousins. Elle était également ornée d'excroissances osseuses.

Après la découverte d'un squelette presque complet d'homalocéphale, les scientifiques savent qu'il était long de 3 mètres.

Tous les membres mâles de cette famille au crâne renforcé étaient toujours prêts à s'affronter entre eux. Ils pouvaient ainsi mesurer leur force, conquérir un nouveau territoire ou s'approprier un troupeau de femelles.

Glossaire

Carnivore : animal qui se nourrit de viande.

Coprolithes : excréments fossilisés.

Extinction : disparition d'une espèce végétale ou animale.

Fossiles : empreintes de végétaux, restes ou traces d'animaux découverts dans la roche.

Herbivore : animal qui se nourrit de plantes.

Mammifère : animal possédant un squelette et dont les femelles portent des mamelles pour nourrir leurs petits.

Météorite : masse rocheuse qui voyage dans l'espace à très grande vitesse.

Paléontologue : savant qui étudie les restes d'animaux ou de plantes ayant vécu il y a des millions d'années.

Prédateur : animal qui tue les autres animaux pour s'en nourrir.

Index